14.⁹⁹

Lis-moi une histoire

*Ce livre
appartient à*

_____

Lis-moi une histoire

Barbara Reid

texte français de
Christiane Duchesne

Éditions Scholastic

L'éditeur tient à exprimer sa gratitude pour l'appui accordé
par le gouvernement de l'Ontario,
dans le cadre de l'Initiative de la petite enfance.

L'auteure souhaite remercier Ken Setterington,
qui est à l'origine de ce projet, ainsi que la Bibliothèque publique de Toronto
pour le soutien indéfectible qu'elle apporte aux jeunes lecteurs.

Photographie : Ian Crysler.

Catalogage avant publication de la Bibliothèque nationale du Canada

Reid, Barbara, 1957-
[Read me a book. Français]
Lis-moi une histoire / Barbara Reid ;
texte français de Christiane Duchesne.

Traduction de: Read me a book.
Pour enfants.
ISBN 0-439-95727-3

I. Duchesne, Christiane, 1949- II. Titre. III. Titre: Read me a book. Français.

PS8585.E4484R4214 2004   jC813'.54   C2004-902853-7

Édition publiée par les Éditions Scholastic, 175 Hillmount Road, Markham (Ontario) L6C 1Z7 CANADA.

6 5 4 3 2 1   Imprimé au Canada   04 05 06 07 08

Pour maman et papa.
— B.R.

Choisis
un livre,

lis-moi
une histoire,

fais-moi danser
sur un poème,

regardons
ensemble.

Viens lire
au jardin,

en haut
ou en bas,

à l'heure
du dodo,

ou même en promenade.

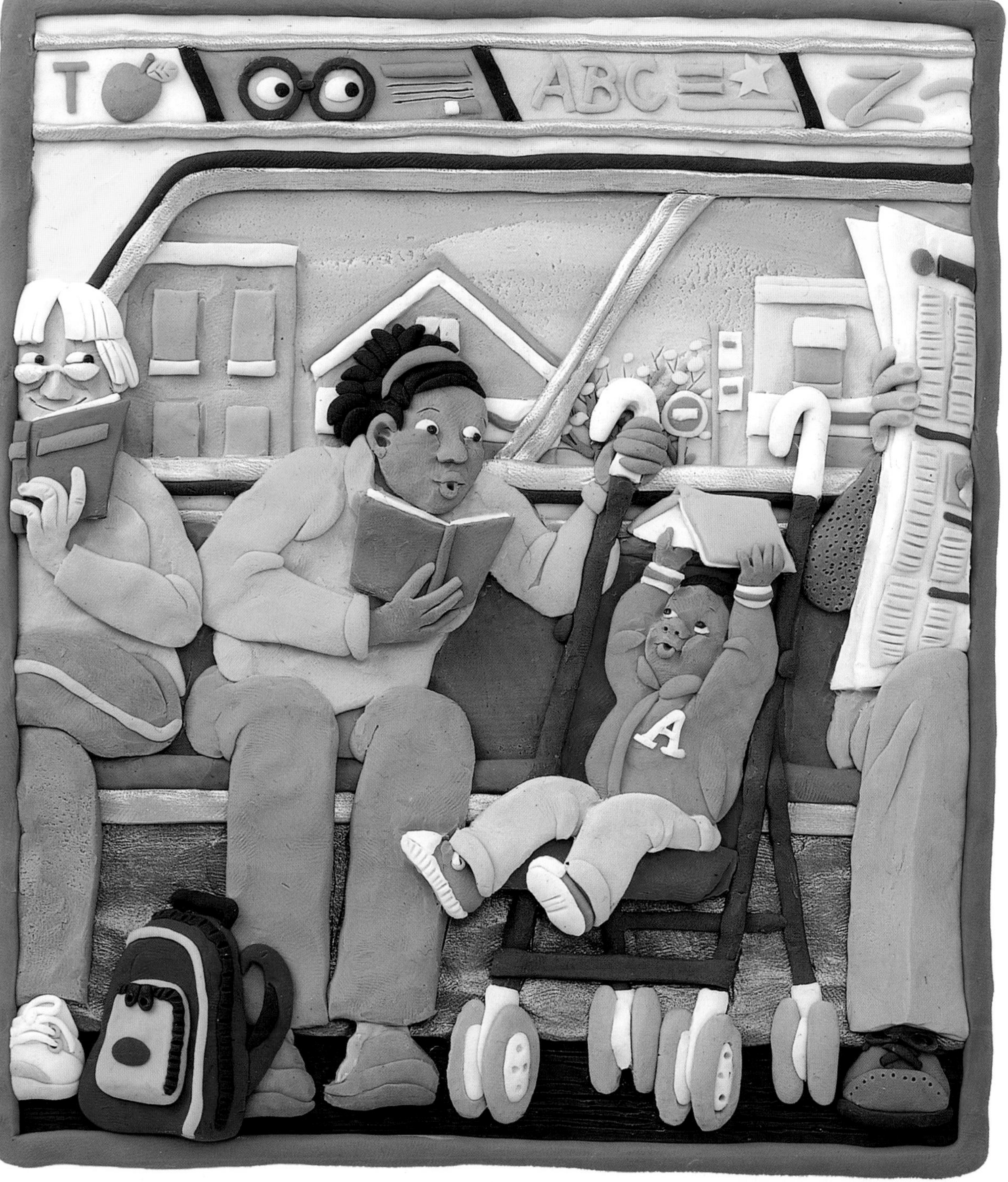
ABC

Lis-moi encore cette histoire,

choisis un nouveau livre,

la plus belle
des histoires...

commence
avec toi!

Les petits dépendent de nous dès la naissance. Nouveau-nés, ils aiment bouger et s'étirer. Ils ont besoin d'attention, de nourriture, de repos, d'amour et d'encouragement. C'est ainsi qu'ils grandissent et apprennent à faire leurs premiers pas. Ainsi se manifeste leur besoin d'apprendre, et le rôle des parents est important dans l'éveil de l'enfant. Les parents sont ses premiers et ses meilleurs professeurs.

Parlez beaucoup à votre enfant. Nommez les objets qui vous entourent, chantez-lui des chansons, dansez, racontez-lui des histoires et frappez des mains au rythme d'une comptine ou d'un poème. Montrez-lui les mots sur les panneaux routiers ou sur les boîtes de céréales; votre enfant verra là des modèles et établira des liens entre eux. C'est avec vous qu'il fait ses premiers pas dans l'univers des mots et du langage.

Plus important que tout, lisez à votre enfant;
il n'est jamais trop tôt pour commencer! Les bébés
ont besoin de livres! Vous pouvez lire à tout moment,
n'importe où et… à peu près tout ce qui vous plaît.
Prenez l'habitude de lire chaque jour à votre enfant.

Au milieu d'une journée occupée, faites une petite
pause lecture. Rendez le temps de lecture excitant
et rempli de surprises. C'est l'occasion idéale de
partager un moment intime avec votre petit, ou de
vous retrouver en famille ou entre amis. Votre enfant
profitera des bienfaits de la lecture tout au long de sa
vie, de son plus jeune âge à ses premiers pas, puis à
l'âge scolaire… jusqu'à l'âge adulte.

Chaque fois que vous lisez une histoire à votre
enfant, vous lui ouvrez les portes du langage et de la
compréhension. Votre petit apprend, et il adore ça!

— B.R.